FOLIO CADET

Traduit de l'anglais
par Karine Chaunac

Maquette : Valentina Léporé

ISBN : 978-2-07-065186-3
Titre original : *Brave dog Bonnie, the little dog with big ideas*
Édition originale publiée par Walker Books, Londres, 2009
© Bel Mooney, 2009, pour le texte
© Éditions Gallimard Jeunesse, 2012, pour la traduction et les illustrations
N° d'édition : 249228
Loi n° 49-956 du 16 juillet 1949 sur les publications destinées à la jeunesse
Dépôt légal : mai 2013
Imprimé en Espagne par NOVOPRINT, Barcelone

Bel Mooney

Pétula

La petite chienne dans la grande ville

illustré par Clément Devaux

GALLIMARD JEUNESSE

À Daisy Dimbledy

Trouillarde

— Tu vas adorer Londres, c'est génial ! lança Isaac.

Il tenait un biscuit au-dessus de la tête de Pétula pour essayer de la faire danser sur ses pattes arrière.

Mais Princesse Lala, la (pénible) petite femelle chihuahua, courait comme une folle dans toute la pièce et Pétula se devait de conserver un minimum de dignité. Elle s'assit, collée contre les tennis de Harry.

– Et il y a plein de magasins fantastiques ! renchérit Lucile.

– Qu'est-ce que tu veux que je fasse dans des magasins ?

Harry adorait passer du temps avec ses amis. Mais ce matin-là, on lui avait annoncé une nouvelle aussi exaltante qu'inquiétante, et il n'était pas d'humeur à bavarder.

– Tu vas bien t'amuser avec ton papa, dit Léna.

– Mais…, commença Harry.

Il ramassa Pétula et fourra son visage dans les doux poils blancs de ses oreilles. Cela lui faisait toujours du bien. Dans sa tête, il revoyait le visage contrarié de sa maman quand elle lui avait annoncé que son père l'invitait à Londres pour un week-end prolongé… et surtout lorsqu'elle avait ajouté : « Non mais, qu'est-ce qu'il croit ? »

– Maman, j'aimerais quand même voir son nouvel appartement, avait protesté Harry.

– Évidemment, mais ce n'est pas la seule nouveauté ! avait coupé maman.

Donc rien n'était encore décidé.

– Le problème, c'est que…

Harry s'interrompit une fois encore.

– Vas-y, Harry, l'encouragea Lucile.

– Eh bien, mon papa… Il a une amie, et elle vit avec lui, et ça veut dire que je vais devoir la rencontrer…

– Oh, l'angoisse…, compatit Isaac.

– Je suis certaine qu'elle sera très chouette, commenta Léna.

– Mais oui, bien sûr, grogna Harry.

– Ouaf, ouaf, piailla Princesse Lala avant de charger au petit trot sur Pétula.

La bichonne savait qu'elle devait montrer à la chihuahua à qui appartenait ce territoire ; elle se précipita donc à sa poursuite jusqu'à ce que sa minuscule rivale s'allonge sur le dos comme pour dire :

– Tu as gagné !

Harry et ses amis pouffèrent ; Lucile prit Princesse Lala dans ses bras et Léna revint au sujet qui les préoccupait.

– Bon, qu'est-ce que tu vas faire ?

Harry soupira.

– Maman dit que je ne peux pas y aller, mais je suis obligé, sinon papa sera vraiment triste ; et, en même temps, je n'en ai pas très envie, alors…

– J'ai une idée ! lança Lucile.

– Quoi ?

– Emmène Pétula avec toi. Tu ne penses pas qu'elle te rassurerait ?

Harry dévisagea Lucile. Il ouvrit la bouche pour protester qu'il n'avait pas besoin d'être rassuré puisque, de toute façon, il n'avait pas peur et…

– Quoi ? rugit Isaac. Être rassuré par cette trouillarde qui tremble chaque fois qu'on lui fait prendre un bain ?

Et la conversation se termina ainsi, noyée au milieu des éclats de rire.

Un peu plus tard, Harry entendit maman discuter au téléphone avec papa. Elle avait ce ton glacial qu'il connaissait si bien. Et qui, autrefois, rendait toujours son père furieux.

– Écoute, David, c'est impossible. Si tu ne peux pas venir le chercher, je ne vais pas le mettre dans un train sans accompagnateur. Non, je n'essaye pas de compliquer les choses…

– Je peux parler à papa ? demanda Harry.

Sa mère lui passa le combiné d'un air renfrogné.

– Salut, papa.

– Salut, mon grand. Comment ça va ?

– Très bien.

– Bon. On réfléchit au meilleur moyen de te faire monter à la capitale. J'ai des problèmes de voiture, tu vois. Je pourrai te reconduire mais pas venir te récupérer chez maman.

– Hé, papa… Tu serais d'accord si Pétula m'accompagnait ?

– La terreur miniature ? Pourquoi pas ? Si elle n'est pas sage, on pourra toujours en faire une paire de gants pour Kim. Allez, repasse-moi ta mère.

Harry attrapa Pétula et quitta la pièce pour ne pas entendre de nouveau le ton de sa maman. Quelques minutes plus tard, elle le rejoignit et s'assit près de lui sur le canapé avant d'éteindre la télévision.

– Tu ne vas quand même pas prendre Pétula et me laisser toute seule ici, n'est-ce pas mon chéri ?

« C'est toujours comme ça avec les adultes, songea Harry. Quoi qu'on fasse, ils s'arrangent toujours d'une façon ou d'une autre pour être malheureux et que ce soit de votre faute. »

Une voix furieuse siffla dans sa tête : « Je ne voulais pas que papa parte, et je ne voulais pas déménager ici et changer d'école, et je ne voulais pas un ridicule petit toutou pour fille ramassé dans un refuge d'animaux ! »

Mais dès que ces pensées lui eurent traversé l'esprit, Pétula étira la patte et lui toucha la main ; elle le regarda de ses yeux noirs charbonneux pleins de reproches, comme si elle savait ce qu'il était en train de se raconter.

Rongé par la culpabilité, Harry se pencha pour déposer un baiser sur sa tête.

– Je n'ai jamais voulu dire ça, maman, fit-il, l'air penaud.

Mais il n'allait pas tarder à être secouru. L'amie de sa mère, Olga, se présenta chez eux et fut rapidement mise au courant de toute l'histoire. Parfois, Harry s'imaginait Olga comme une sorte de bonne fée – une très bonne fée – avec ses cheveux fous, ses vêtements aux couleurs voyantes et sa manière inimitable de résoudre les problèmes.

– … donc, tu vois, c'est vraiment impossible qu'il y aille… et j'espère que tu comprends, Harry, mon chou, conclut maman.

Olga plongea les yeux dans ceux de son amie.

– Ce n'est pas si impossible que ça, Anne, répliqua-t-elle.

Maman fronça les sourcils.

– Qu'est-ce que tu veux dire ?

– Ça pourrait même être très facile, si tu le voulais… Il y a une nouvelle exposition à la National Gallery que j'avais l'intention d'aller voir. Il est grand temps que je m'offre une journée à Londres. Et donc, Harry pourrait voyager en train avec moi.

Harry dévisagea sa maman, il osait à peine respirer. Jusqu'à cet instant, il ne s'était pas rendu compte à quel point il désirait si fort aller voir comment vivait son père, ou simplement voir son père, même si cela signifiait rencontrer sa nouvelle compagne.

Pétula observait Harry avec attention. Comme chaque fois, il avait l'impression que la petite chienne lisait dans ses pensées.

On aurait dit qu'elle pouvait entendre ces horribles disputes qui avaient conduit papa à faire sa valise et à partir, qu'elle pouvait voir combien Harry avait détesté quitter l'endroit où ils vivaient, qu'elle pouvait sentir les larmes salées qu'il avait essayé de dissimuler à sa mère. Et qu'elle pouvait aussi percevoir sa peur quand il avait débuté dans sa nouvelle école, se souvenir des doigts qu'il passait autour des oreilles veloutées de Prince, son chien imaginaire pour se consoler. Elle semblait tout connaître de ces instants difficiles.

Bien qu'elle soit si petite, Harry soupçonnait parfois qu'elle en savait plus que lui. Les chiens n'ont pas besoin que les choses soient dites à voix haute pour les comprendre.

– ... bon, tu vois, Anne ? C'est simple, poursuivit Olga. Et on va te préparer un tas de choses chouettes à faire ce week-end-là, comme ça Harry ne te manquera pas trop.

– Et Pétula, ajouta Harry.

– Tu dois vraiment l'emmener ? demanda maman. Elle ne va pas avoir peur du bruit, de la circulation… ?

– S'il te plaît, maman, supplia-t-il.

– Un chien doit au moins voir Londres une fois dans sa vie, sourit Olga. Après tout, c'est leur capitale aussi !

Et l'affaire fut décidée.

– Il faudra vraiment que tu t'assures que Pétula ait toujours son collier, au cas où elle se perdrait, fit Léna lorsque Harry alla chez ses voisins pour leur annoncer la nouvelle.

– Comment pourrait-elle se perdre alors que je veille sur elle ? s'amusa Harry.

À cet instant, la mère des jumeaux fit irruption dans le salon avec un tintement de bracelets.

– Devine quoi, Harry ? Nous avons décidé d'organiser un grand dîner le samedi où tu seras à Londres, avec des tas d'amis qu'on

n'a pas vus depuis des années… et ta maman.
On fera en sorte qu'elle passe une soirée
formidable. On va s'occuper d'elle à ta place.
Bonne idée, non ?

Harry se pencha pour prendre Pétula
dans ses bras et fit mine de chahuter avec
elle sur ses genoux. Il avait besoin de cacher
son visage. Mme Wilson savait qu'il se sentait coupable à l'idée de laisser sa mère et sa
généreuse proposition lui avait fait monter
les larmes aux yeux.

Soudain, Pétula sauta à terre et fila comme une flèche à travers la pièce. Elle attrapa la bordure d'un des tapis colorés et commença à tirer dessus avec force grognements.

– Arrête ça, Pétula ! cria Harry, ravi de l'interruption.

Mme Wilson rit, bien que le tapis ait l'air d'avoir de la valeur. Harry aimait cette façon qu'elle avait de ne pas accorder trop d'importance aux choses matérielles.

– Espérons qu'elle ne saccagera pas le nouvel appartement de ton papa, dit-elle. Tu es impatient d'y aller ?

– Ouais, ça va être sympa, répondit Harry qui se demanda soudain s'il y aurait une chambre pour lui.

Il y eut un silence, qu'Isaac brisa en chantonnant :

– Super lapin s'en va à Londres, mironton mironton mirontaine, super lapin s'en va à Londres, pour aller voir la reine !

– Tu ferais bien de faire attention, sinon ils vont la transformer en bonnet à poils pour soldats de la garde royale ! se moqua Léna.

– Il faudrait déjà qu'ils l'attrapent ! s'esclaffa Harry qui observait Isaac batailler pour capturer Pétula.

Deux soirs avant le grand départ, Harry s'aperçut que sa maman commençait à avoir l'air un peu moins triste, et même plutôt enthousiaste à l'idée du dîner chez les Wilson. Ils mangeaient du poulet avec des petits pois et des pommes de terre au four et, pour une fois, maman n'essayait pas de l'empêcher de glisser à Pétula de petits morceaux de viande sous la table.

– Tu es content d'aller à Londres, mon chéri ? demanda-t-elle.

– Je crois, oui.

– Tu penses que tu vas bien t'entendre avec Kim ?

– Qui est Kim ? interrogea-t-il, même s'il connaissait parfaitement la réponse.

– Tu sais très bien qui c'est, Harry ! La… l'amie de papa.

– Oh, elle. Ça m'étonnerait. De toute façon, je suis sûre qu'elle déteste les chiens.

Maman se pencha et hissa Pétula sur ses genoux. Puis, à la grande surprise de Harry, elle plongea le doigt dans le jus du poulet mêlé de beurre et laissa la chienne le lécher.

– Personne ne peut détester Pétula, dit-elle doucement.

Il y eut un silence. Maman tendit le bras derrière elle pour saisir la brosse et commença à toiletter les oreilles soyeuses de la petite bichonne.

– Il vaut mieux que tu sois jolie pour Londres, ajouta-t-elle. J'imagine que Kim doit être jolie, et gentille aussi.

Soudain, Harry comprit. Sa maman avait peur. Voilà pourquoi elle faisait tant d'histoires.

Il bondit et jeta ses bras autour de son cou, si bien que Pétula fut presque écrabouillée.

– Personne n'est aussi jolie et gentille que toi, maman. Personne au monde ! cria-t-il.

Et la petite chienne lâcha un grand « OUAF ! » d'approbation.

Pétula était perchée sur les genoux de Harry et regardait par la fenêtre du train. Quelle vitesse ! Les arbres, les champs, les constructions… tout disparaissait en un éclair, elle en avait le vertige. Elle essayait de dessiner dans sa tête sa carte de chien limier pour retrouver le chemin de la maison, mais les choses se précipitaient trop rapidement vers elle.

Brrrrouuum ! Elle n'aimait pas ce bruit. Cela la rendait nerveuse. Les gens passaient à côté d'elle et la montraient du doigt ; à un

moment, un petit garçon se pencha de son siège et lui donna une forte tape. « Toutou ! Méchant toutou ! », cria-t-il.

Sa mère le tira en arrière. « Laisse la mignonne petite bête tranquille, mon chéri ! »

Petite bête ? Je ne suis pas une petite bête. Je suis un très gros chien !

Olga discutait avec Harry. Pétula devinait qu'il faisait de son mieux pour répondre gentiment mais qu'il ne souhaitait pas vraiment parler.

Pauvre Harry ! Pétula percevait combien il était nerveux, à travers ses bras, ses mains, ses doigts. Un mélange d'envie — une envie furieuse — de voir ce qui allait arriver, et de désir de fuite, de se retrouver en sécurité à la maison avec maman.

Ta-tac-ta-toum, faisait le train.

Est-ce moi qui tremble ou cet horrible monstre bruyant ? se demanda Pétula.

« Pauvre petite trouillarde », murmura Harry dans sa douce fourrure.

Elle sentit qu'il la serrait encore plus fort lorsqu'une annonce se fit entendre dans les haut-parleurs :

« Prochain arrêt, gare de Paddington. Assurez-vous de n'avoir rien oublié dans le train... »

Il essaye d'être courageux, songea Pétula. Parce qu'en vérité, il n'a pas le choix.

Chien perdu

– Les voilà ! fit Harry en apercevant deux silhouettes au loin.

Il espérait qu'Olga ne pouvait pas lire ses sentiments sur son visage.

– Je suis impatiente de rencontrer ton papa, murmura-t-elle tandis qu'ils remontaient le quai pour passer la barrière de contrôle.

Pétula tirait sur sa laisse et fit presque trébucher un homme. Il se retourna et leur jeta un coup d'œil mécontent.

Personne ne regardait la petite chienne
ni ne lui souriait, comme cela se produisait
toujours là où ils habitaient. Harry conclut
que Londres était un endroit aussi inhos-
pitalier qu'effrayant. Les battements de
son cœur semblaient se répercuter sous les
grandes arches du toit de la gare et il avait
l'impression que tout le monde pouvait les
percevoir.

Devant eux, papa leur adressa un signe de la main. À ses côtés se tenait une jeune femme aux courts cheveux noirs, qui arborait un manteau d'un violet vif et un large sourire.

« Comment fait-on ça ? se demanda Harry. Comment peut-on essayer d'être ami avec quelqu'un que votre maman n'aime pas ? Mais sinon, papa va… Au secours, à l'aide ! Pourquoi est-ce que tout est si dur ? »

Comme si Pétula avait entendu, elle se retourna vers lui et commença à sautiller sur ses pattes arrière pour le convaincre de la prendre dans ses bras – ce qui lui donna quelque chose à faire.

Puis Olga prit l'initiative.

– Vous devez être David, dit-elle, une main tendue. Je suis Olga, l'amie d'Anne.

– Ravi de vous rencontrer, et merci d'avoir accompagné ce loustic jusqu'à la grande ville, répondit le papa de Harry avec cette voix trop chaleureuse qu'il utilisait quand il se sentait un peu intimidé.

— Ces deux loustics ! s'exclama Olga en riant, un doigt pointé vers Pétula.

— Salut, mon grand, lança papa en ébouriffant les cheveux de son fils. Dis bonjour à mon amie Kim. Kim, voici Harry. Et la chienne !

— Elle ne s'appelle pas la chienne. C'est Pétula, répliqua Harry qui prenait un soin infini à reposer la bichonne sur le sol afin que personne ne voie son visage rougir.

Kim s'accroupit et essaya de caresser Pétula.

– C'est une joie de te découvrir enfin, lui
dit-elle. Je suis impatiente d'apprendre à te
connaître. Et Harry, aussi.

Mais Pétula n'aimait pas les étrangers. Elle
battit en retraite loin de Kim et se mit à décrire
des cercles avant de décider d'attaquer le jean
de papa, qu'elle mordilla avec acharnement
dans un concert de grognements.

Puis, quand Harry la tira vers l'arrière, elle
se lança dans une salve d'aboiements des

plus féroces en direction de Kim. Qui recula, l'air contrit.

– Oh, elle ne nous aime pas, David, dit-elle.

– Désolé, marmonna Harry.

Pétula ne faisait pas autant de bruit d'habitude. Pourquoi se comportait-elle si mal ? Mais au moins, l'attention avait été détournée de lui…

– Elle est adorable quand on la connaît, rassura Olga. Bien, maintenant je pense que je vais vous laisser. Ce n'est pas souvent que je peux profiter d'une journée à Londres !

Harry ne voulait pas qu'elle parte. Elle lui apparaissait soudain comme la seule chose familière dans ce nouveau monde hostile. Il souhaita de toutes ses forces n'être qu'un petit garçon pour pouvoir lui prendre la main et s'en aller avec elle. Mais non, il devait rester : avec cette personne qui était son bon vieux papa mais qui pourtant lui faisait l'effet d'un inconnu, et cette femme encore plus inconnue à ses côtés. Heureusement qu'il avait Pétula.

« Un petit chien peut parfois vous sauver la vie », pensa-t-il. Mais quand le métro rugit à son arrivée dans la station et qu'ils s'engouffrèrent à l'intérieur, Pétula n'était plus capable de sauver personne. Détonations, raclements, martèlements, elle n'avait jamais entendu un tel tintamarre alors que la rame se précipitait dans les sombres tunnels ; et elle détesta cela de tous les poils blancs de son corps. Harry la tenait avec fermeté, mais les tremblements,

les soubresauts de la petite chienne, semblaient le traverser de part en part.

Il n'y avait que cinq arrêts jusqu'à leur
destination. Quand ils sortirent de la station,
Harry se retrouva dans une rue bruyante :
quatre bus se croisaient à la fois dans un
vrombissement, les gens s'apostrophaient
d'un trottoir à l'autre, de la musique reggae
à plein volume se déversait d'un magasin
qui portait l'inscription DUB & SKA barbouil-
lée à la peinture en grosses lettres voyantes.
Il ne savait pas ce que cela signifiait. D'ailleurs, rien n'avait de signification. Il s'ac-
crocha à Pétula comme si son existence en
dépendait.

– Hé, Harry, qu'est-ce qu'un toutou a aux
quatre coins du corps ? rit papa.

– Quoi ?

– Des pattes, mon grand ! Laisse-la marcher !

Alors, les petits coussinets propres de
Pétula touchèrent pour la première fois
l'immense pavé sale de Londres ; elle renifla

une centaine d'odeurs qui lui racontèrent d'étranges histoires d'hommes et de chiens qui étaient passés par là.

L'appartement de papa se trouvait au rez-de-chaussée, avec un petit carré de pelouse à l'arrière. La porte de la véranda était équipée d'une chatière, et papa fit remarquer avec amusement que c'était une bonne chose que Pétula ne soit pas plus grosse qu'un chat car ainsi, elle pourrait sortir toute seule dans le jardin chaque fois qu'elle en aurait envie. Il montra fièrement à Harry la nouvelle cuisine, le salon avec l'énorme télévision, les grands canapés moelleux, et les deux chambres : une grande et une toute petite. La plus exiguë contenait un bureau et un canapé-lit ; près de l'ordinateur, Harry aperçut dans un cadre une photo de lui quand il avait trois ans, assis sur les épaules de papa. Ils riaient tous deux en direction de l'appareil qui devait être tenu par maman. La vue de cette image le rendit heureux, et triste en même temps.

— Tu as grandi, monsieur, murmura papa à son oreille.

— Ouais, répondit Harry qui pensa aussitôt : beaucoup plus que tu ne le crois, papa.

Le temps qu'Harry ait fini d'inspecter la télévision (un écran plat élégant, rien à voir avec l'énorme vieux poste qui se trouvait chez maman) et toutes les autres choses de l'appartement, la faim commença à se faire

sentir. Mais quand Kim lui offrit un morceau
de gâteau, il fit non de la tête.

– Et Pétula ? demanda-t-elle. Je lui ai acheté
de la nourriture. Et sa propre gamelle.

Elle lui montra une boîte des bouchées
préférées de Pétula et un joli bol chromé.

– Je ne me suis pas trompée ? s'enquit-elle.

Harry fit la moue.

– Il n'existe qu'une seule marque de toute
façon.

– Bon, j'espère qu'elle a faim, même si toi tu ne veux pas manger.

– Elle n'a jamais beaucoup d'appétit quand elle n'est pas chez elle, répliqua-t-il d'une voix froide.

Il se détesta. Kim faisait preuve de tant de gentillesse, et il était incapable de lui rendre la pareille.

Mais Pétula avait repéré la nourriture pour chien et remuait la queue. Elle s'assit et sortit sa langue rose, les yeux rivés sur Kim qui éclata de rire. Lorsque la jeune femme s'agenouilla, Pétula lui lécha la main.

– Regarde, Harry, dit-elle. Ton adorable petite chienne me dit qu'elle est contente de mes choix !

– Brave toutou ! lança papa depuis le salon.

Ils ne programmèrent pas grand-chose pour le reste de cette journée, car papa avait déclaré que Harry devait être fatigué – ce qui était vrai. Alors ils firent des jeux, regardèrent un DVD, mangèrent les meilleures saucisses-purée sauce à l'oignon de papa,

puis Kim montra à Harry quelques-unes de ses illustrations. Elle dessinait des motifs pour papiers peints ; Harry trouvait que c'était un moyen plutôt bizarre de gagner sa vie. Mais il apprécia son carnet de croquis couverts de fleurs, de feuilles et d'oiseaux, ainsi que de bateaux et de bâtiments.

– J'aime dessiner, commenta-t-il malgré lui.

– Eh bien, quand il fera beau, peut-être pourrions-nous aller tous les deux faire des croquis au parc, suggéra-t-elle.

Il haussa les épaules.

– Peut-être.

Il se réfugia dans la chambre bureau pour appeler maman depuis son téléphone portable. À l'entendre qui essayait de paraître enjouée, il comprit qu'il lui fallait continuer d'être courageux. C'était le seul moyen.

Cette nuit-là, il se blottit en compagnie de Pétula sur le canapé-lit et guetta les bruits de la capitale qui venaient du dehors. Quelqu'un cria. Une alarme de voiture se déclencha. Une bande de filles passa en courant avec des rires pointus. Et le bourdonnement incessant des bus et des voitures – sans parler de millions de voix lointaines – résonnait en arrière-plan. Il eut même l'impression de pouvoir sentir les vibrations des métros, tout en bas, sous la surface de la ville.

« Je n'arriverai jamais à dormir ici », songea-t-il.

Mais Pétula se recroquevilla contre lui et ses yeux finirent par se fermer.

Ils se levèrent tard le lendemain matin, et papa annonça que c'était l'heure du brunch.

– Nous allons t'emmener dans notre endroit préféré en haut de la rue, dit-il. Tu vas goûter les meilleurs œufs frits du monde, Harry, et Kim adore leurs sandwichs au rosbif.

– Et Pétula ? demanda Harry.

– Oh, elle reste là, elle sera très bien. Ils ne la laisseront pas entrer dans le café.

Pétula entendit le mot tant redouté « reste » et comprit qu'elle ne serait pas de la partie. Ses oreilles s'affaissèrent, sa queue s'abaissa jusqu'à toucher le sol. Mais il n'y avait pas le choix : papa avait planifié cette sortie.

Ils refermèrent la porte sur la petite chienne et allèrent déguster un brunch qui s'avéra aussi délicieux que papa l'avait promis. Harry commençait même à aimer l'animation de la grande ville.

Pourtant, un choc l'attendait lorsqu'ils revinrent à l'appartement. Quand papa ouvrit la porte d'entrée, Harry s'attendait à ce qu'une boule blanche se jette sur lui avec soulagement pour célébrer son retour.

Mais rien.

– Pétula ? Ici, Pétula ! Au pied, face de souris ! appela-t-il

Silence.

– Cette petite maligne se cache, fit papa.

– Non, impossible, répliqua Harry qui courait d'une pièce à l'autre. Elle ne ferait…

– Pétula ! cria Kim.

Aucune trace de la chienne.

Kim ouvrit la porte de la véranda et ils sortirent dans le jardin. Un seul regard aux alentours suffit pour constater que Pétula ne se trouvait pas là non plus.

Une énorme main glaciale broya alors le cœur de Harry jusqu'à ce qu'il ne puisse plus respirer.

– Regardez ! cria-t-il, en pointant le doigt.

Une brèche apparaissait dans la clôture.

Juste en dessous, on avait gratté la terre pour agrandir le passage. Harry se pencha et ramassa quelques longs poils blancs encore accrochés aux planches de bois. Il ne pouvait plus parler. Ils se regardaient tous trois avec horreur.

– Elle n'a pas pu aller bien loin, raisonna papa. Séparons-nous et faisons le tour du pâté d'immeubles. Harry, tu viens avec moi ; Kim, tu pars de l'autre côté.

Un vent de panique flottait dans l'air.
Ils se précipitèrent dehors et entamèrent
leurs investigations : ils regardèrent partout,
appelèrent, espérèrent à chaque coin de
rues ou d'entrée de magasins apercevoir
une petite chienne blanche, langue pen-
dante, tout à la joie de les revoir.

Plus d'une heure passa. Ils cherchèrent
et cherchèrent encore. Kim retourna à
l'appartement pour appeler la police et la
fourrière pour chiens, tandis que papa allait
interroger toutes les boutiques du coin. Et il
y en avait beaucoup. Mais personne n'avait
vu Pétula.

Harry luttait maintenant pour retenir ses
larmes. Quand il rejoignit Kim avec son
père et qu'elle leur annonça que ses appels
n'avaient rien donné, il ne put se contenir
plus longtemps.

– J…J'aurais vou…vou… voulu qu'on
vienne jamais à Londres ! sanglota-t-il.

Papa affichait un air malheureux. Kim mit
un bras autour des épaules de Harry et le

serra fort contre elle. Quand le téléphone sonna, ils firent tous un bond. Papa s'en empara prestement.

Même à quelques mètres de distance, Harry put entendre la voix de sa mère :

– MAIS QU'EST-CE QUI S'EST PASSÉ, DAVID ? hurlait-elle. QU'EST-CE QUI S'EST PASSÉ AVEC MA CHIENNE ?

– Mais comment as-tu… ? bredouilla-t-il.

– Je viens juste de rentrer et de trouver un message sur mon répondeur. Je n'y comprenais rien, puis je me suis souvenue que mon téléphone était sur le collier de Pétula. David, c'était un genre d'homme…

Harry l'entendit se mettre à pleurer et commença à trembler, tout comme Pétula dans le métro.

– Bon sang, Anne, qu'est-ce qu'il a raconté ? demanda son papa.

– Il avait l'air terrible, dur, tu vois ? Comme un criminel. Il a juste dit « On a votre chien » et laissé un numéro. Oh, David, Pétula a été kidnappée !

Pétula n'aimait pas rester seule. À la maison, cela passait encore, mais elle se trouvait dans un chenil étranger et elle pensait que Harry n'aurait pas dû la traiter de cette façon. Comment pourrait-elle veiller sur lui si elle restait coincée ici ? Elle sauta par la chatière et explora les alentours. Une minute pour renifler jusqu'à la brèche dans la clôture, deux minutes pour élargir le passage et elle était dehors : prête à rejoindre Harry où qu'il soit allé.

Le problème, c'était que l'arrière du jardin donnait sur une allée encombrée de poubelles malodorantes et que lorsque Pétula atteignit la rue, ce n'était pas celle que Harry avait parcourue quelques instants auparavant. Puisque son odeur n'était pas repérable à cet endroit, elle se mit en quête d'une piste, nez au ras du bitume, haletante... dans la mauvaise direction.

Trouver Harry, trouver Harry, *était la seule chose qu'elle avait à l'esprit ;* elle ne remarquait personne, n'entendait ni les bus ni les taxis *freiner quand elle traversait les rues, igno-rait les enfants qui la montraient du doigt et criaient :*

« Oooh, regardez le mignon petit chien blanc qui se promène tout seul ! »

Mais soudain, elle fut entourée d'un cercle de pieds et de jambes. Elle entendit des voix et des rires rauques tandis qu'elle courait en rond pour essayer de s'échapper. Elle se débattit comme une folle quand une grosse paire de mains la souleva du sol.

« J't'ai eue ! »

Elle plongea ses dents minuscules dans un doigt charnu, ce qui déclencha un juron suivi de nouveaux rires tonitruants.

« Wahou ! Quel molosse ! » se moqua un homme.

Des bras l'immobilisèrent si bien qu'elle pouvait à peine respirer.

Où m'emmènent-ils ? songea-t-elle. Et comment Harry va-t-il savoir où je suis maintenant ?

Sacré cabot !

– Restons calmes, dit papa tandis que Kim et Harry, les joues pâles, le dévisageaient.

– Vont-ils demander une rançon ? murmura Kim.

– J'ai de l'argent de poche, annonça résolument Harry.

Ses larmes ne coulaient plus. La situation était devenue trop terrifiante pour qu'on puisse encore pleurer. Il fallait être courageux pour Pétula… parce que là où elle se trouvait maintenant, la petite chienne aurait à être encore plus brave.

– La première chose à faire, c'est d'appeler ce numéro qu'ils ont laissé, dit papa.

– On ne devrait pas d'abord téléphoner à la police ? demanda Harry.

– Non, pas tout de suite, rétorqua papa sombrement. Je veux d'abord parler avec ce type, quel qu'il soit.

– Comment peut-on vouloir voler Pétula ? explosa Harry.

– C'est une race de petit chien qui a de la valeur, expliqua Kim avec calme. Les gens sont prêts à payer beaucoup pour un animal de compagnie comme elle.

– Pétula vaut plus que de l'argent, répondit-il d'un air malheureux.

Papa s'empara du téléphone. Il prit une profonde inspiration et composa le numéro ; Harry et Kim se collèrent près de lui pour entendre la conversation. Kim avait passé un bras autour des épaules de Harry, mais cela ne le dérangeait pas.

– Salut, fit papa quand on décrocha à l'autre bout du fil.

– Qui est-ce ? répliqua une voix masculine.

Harry frissonna. Cette voix ne semblait pas sympathique. C'était une voix rugueuse, dure, bourrue, de celles qu'il imaginait devenir très vite agressives.

– Je m'appelle David. Vous avez laissé un message. À propos de notre chienne.

Harry entendit l'homme lâcher une sorte de rire – si on pouvait appeler cela un rire. « Ça ressemble plutôt à un aboiement », songea-t-il.

– Ah ouais, c'est vrai.

– Et donc ? continua papa qui essayait d'avoir l'air le plus méchant possible. Qu'est-ce que vous voulez ?

– Qu'est-ce qu'on veut ?

À cet instant, ils perçurent dans le lointain un jappement frénétique, comme si Pétula se trouvait dans la pièce d'à côté et essayait désespérément de s'échapper.

– C'est bien ce que j'ai dit, grogna le papa de Harry.

– On veut que vous veniez chercher cette petite vermine, c'est ça qu'on veut ! Quelle galère ! Moi et mes potes, on n'a jamais vu ça !

Harry sentit son cœur faire un bond tandis qu'un large sourire commençait à se dessiner sur le visage de son père. Kim retira son bras et joignit les mains dans un geste d'allégresse.

– Alors, elle va bien ? demanda papa.

– Ouais, la chienne, ça va. Mais elle m'a presque boulotté le doigt !

– Où l'avez-vous trouvée ?

– Elle courait dans la rue, elle aurait pu se faire écrabouiller par un bus ! Mais bon, on était cinq, on l'a cernée, tu vois, mais on en a bavé pour l'attraper, je te dis pas ! Ça a beau être un microbe, elle s'est carrément défendue. Et puis elle n'arrête pas d'aboyer, aussi. Elle va nous casser la tête si vous ne venez pas la chercher.

– Ça, c'est ma Pétula, murmura Harry.

Il avait envie d'éclater en sanglots – de joie, cette fois – mais il se retint.

– Bon, faut quand même venir la chercher, parce que là, on est à l'appart, et on veut pas qu'on nous voie dehors avec elle, pigé ? C'est plutôt un chien de fille !

Harry voulut attraper le téléphone pour hurler : « NON, C'EST PAS VRAI ! » mais il se souvint qu'il avait dit la même chose lorsque maman avait ramené Pétula à la maison pour la première fois. « Qu'est-ce qu'on peut se tromper… », pensa-t-il.

Hébété, il regarda son père noter des instructions sur un morceau de papier, puis raccrocher le téléphone après avoir dit merci au moins cinq fois.

Ils s'observèrent tous trois avec de grands sourires heureux.

– Quelle chance tu as, Harry, dit doucement son père avec un hochement de tête. Et cette chienne a bien de la chance aussi !

À peine une minute plus tard, ils étaient dans la rue et suivaient le chemin que Pétula avait probablement emprunté. Harry appela maman avec son portable pour lui dire que

Pétula était saine et sauve, mais il ne mentionna pas toutes les artères dangereuses qu'elle devait avoir traversées au cours de sa grande évasion.

Enfin, ils se retrouvèrent au pied de hautes tours d'immeubles, près d'une grille blanche qui encerclait les blocs de bâtiments.

Harry sentit de nouveau la peur.

– Où nous a-t-il demandé d'aller ? murmura-t-il.

– Le type nous a dit d'attendre là, au milieu, près de l'arbre.

Ils allèrent se poster près d'un arbre solitaire qui avait réussi à émerger du sol dans cet endroit balayé par le vent. Toutes les fenêtres des appartements semblaient les scruter d'un œil vide. Il n'y avait personne en vue.

Soudain, Kim agrippa le bras de Harry.

– Regarde là-bas ! chuchota-t-elle.

Une porte de métal s'ouvrit bruyamment. Harry vit quatre hommes de grande taille qui marchaient d'un pas rapide dans leur

direction, avec un étrange balancement
dans la démarche qui donnait l'impression
qu'ils se trouvaient sur un bateau en pleine
mer. Son cœur se mit à battre à tout rompre.
Étaient-ce les… ?

Oui ! L'un deux portait dans ses bras
quelque chose qui se tortillait et gigotait :

un panache blanc frémissant, comme une boule de neige vivante.

– Pétula ! hurla Harry.

L'homme qui tenait la petite chienne eut à peine le temps de se pencher pour la poser sur le sol qu'elle avait déjà bondi.

La boule de neige se transforma en fusée, propulsée par la force de sa queue touffue qui battait de droite à gauche comme un drapeau. Elle traversa l'esplanade à toute allure jusqu'à ce que Harry la prenne dans ses bras.

– Salut, face de souris ! Salut ma fille ! bégaya-t-il tandis qu'il gloussait de bonheur sous la langue de Pétula, occupée à lui lécher le visage.

La bande les rejoignit. De près, ils semblaient plus jeunes que Harry ne l'avait cru : dans les vingt ans, crânes rasés et sweat-shirts à capuche. Celui qui avait porté Pétula arborait le mot RAGE tatoué sur les phalanges de ses doigts, un autre une tête de mort sur le cou, juste sous son oreille droite.

Le troisième affichait un piercing sur l'arcade sourcilière et le quatrième dissimulait sous la visière d'une casquette de baseball un œil au beurre noir qui faisait plutôt peine à voir.

— Ça roule ? dit **RAGE** avec un geste du menton à l'intention du papa de Harry.

— Ouais. Je suis David, et voici Kim, et…

– Merci d'avoir retrouvé Pétula ! s'exclama Harry qui la tenait serrée dans ses bras.

– Je m'appelle Fab, poursuivit **RAGE** qui semblait mener la bande, et ça c'est Raph, et Greg, et Snob.

Ils firent tous un signe de tête distant.

– Moi, c'est Riri ! dit Harry.

– Pouvez-vous nous dire ce qui s'est passé ? interrogea Kim.

Fab leur raconta qu'ils traînaient dans la rue quand ils virent la petite chienne errer près de voitures en stationnement.

– On savait qu'elle n'était pas abandonnée, parce qu'elle avait l'air trop bien soignée. Alors on a essayé de l'attraper, on pensait qu'elle allait avoir des problèmes. Mais c'était pas du gâteau, hein les gars ?

Il regarda ses copains qui acquiescèrent de la tête.

– Elle s'est battue comme un chef ! dit Snob, celui à la casquette de baseball.

– C'est une bonne bagarreuse ! renchérit Greg, celui à l'arcade sourcilière percée.

– Un sacré cabot ! ajouta Raph, celui au tatouage tête de mort.

– J'ai encore les traces de dents ! conclut Fab en agitant les doigts.

Harry éclata d'un rire bruyant, et ils se joignirent tous à lui. Il posa Pétula par terre, qui se mit à courir en rond à leurs pieds et aboya comme une folle lorsque Fab essaya de l'attraper.

Le garçon eut un large sourire.

– Vous voyez le topo ?

– Vous vous êtes donné beaucoup de mal, dit le papa de Harry.

– Nan, riposta Fab qui dansait d'un pied sur l'autre d'un air gêné. On aime les chiens, nous, hein les gars ? Enfin, encore que ça c'est pas un vrai chien, mais bon…

Pour une fois, Harry ne trouva pas vexant d'entendre des gens se moquer de la taille de Pétula.

Oui, elle était minuscule, mais elle avait marché toute seule dans Londres, traversé des rues pleines de circulation, tenu tête à

un gang d'étrangers et ne s'était pas laissé capturer sans combattre !

– C'est peut-être un chien de salon, mais c'est le chien de salon le plus courageux d'Angleterre, fit Kim.

– Respect, commenta Fab.

Les quatre garçons commencèrent à s'éloigner mais le papa de Harry les rappela.

– Les gars, dit-il, je suis vraiment… Enfin,

je sais que vous n'avez rien demandé…
Mais prenez ça et payez-vous une bière,
d'accord ?

Il sortit son portefeuille et leur offrit un
billet de vingt livres sterling que Fab reçut
avec un grand sourire.

– On ne dit pas non ! Merci !

Raph donna une tape amicale sur la tête
de Harry.

– Et écoute, mon frère, tu ferais mieux de la garder bien à l'abri. Il y a des types qui pourraient voler un chien comme ça.

– Ouais, il y a plein de types louches par ici ! rigola Fab.

Et ils éclatèrent tous de rire avant de s'éloigner, les pouces levés en l'air pour leur dire au revoir.

Sur le chemin du retour, Harry, papa et Kim marchèrent en silence pendant un moment. Harry avait mis sa laisse à Pétula qui tirait vers l'avant et reniflait tous les murs et portails comme à son habitude. Chacun d'entre eux imaginait ce qui aurait pu lui arriver. Harry voyait un kidnappeur qui leur demandait un attaché-case rempli de billets ; Kim s'inventait une femme qui volait la petite chienne juste parce que c'était un mignon toutou ; papa se la figurait écrasée au milieu de la rue… Il n'aurait plus jamais pu regarder Harry ou sa mère en face.

Mais tout allait bien.

Harry finit par dire :

— Ils étaient vraiment sympas, ces gars, papa.

— Ils n'en avaient pas l'air, pourtant ! commenta Kim.

— Comme quoi, les apparences…, fit papa d'un air songeur.

— C'est drôle, non ? poursuivit Harry. Je veux dire, quand on voit des gens comme eux qui passent, on a, tu sais, toujours un peu peur. Mais là, ils ont pris soin de Pétula. Tu te rends compte de notre chance ?

— Ça, c'est sûr, conclut son père avec un soupir de soulagement.

Plus tard, une fois de retour à l'appartement, papa lança soudain :

— J'espère… Je veux dire… que ça ne t'a pas coupé l'envie de revenir nous voir, hein, mon garçon ?

— Ce n'était pas de ta faute, papa, répliqua Harry. Et puis, ça a vraiment montré de quoi Pétula était capable… Je suis tellement pressé de tout raconter à Léna, et à Isaac, et à Lucile ! Tu vois, ces garçons, ils avaient l'air terribles, mais en fait, vraiment pas ; et Pétula, elle n'est peut-être pas bien grande, mais en fait, si !

– Aucun doute là-dessus. Mets-lui une capuche et une boucle d'oreille et elle fera une parfaite chef de meute ! fit papa en riant.

– Sans oublier le tatouage ! gloussa Kim. Quelle inscription pourrait-elle porter ?

– Pétula sacré cabot ! cria Harry.

Et Pétula grogna « grrrr… rrrr… grrrr ! » pour lui prouver qu'il avait raison.

Pétula se débattait toujours lorsqu'ils atteignirent les barres d'immeubles. Elle n'aimait pas cet endroit et l'ascenseur malodorant la terrorisa. Mais il n'était pas question de montrer sa peur. Alors, du plus profond de sa gorge, elle entama un long grognement sourd pour chasser son angoisse.

Vlan ! fit une porte derrière elle avant qu'on ne la dépose enfin sur le sol. Pétula fit face à ses ravisseurs : pattes arrière écartées, poitrine redressée, elle leur aboya dessus de toute la puissance de ses poumons. Elle courut d'une pièce à l'autre, mais l'appartement était petit et il n'y avait nulle part où se cacher.

Je vais leur casser les oreilles. Je serai tellement infernale qu'ils vont regretter de m'avoir amenée ici. Et d'ailleurs, je vais commencer par leur déchiqueter le pantalon, décida-t-elle avant de se précipiter vers la paire de jeans la plus proche pour s'y accrocher de toutes ses forces.

« Eh, voilà qu'elle recommence ! », dit l'homme.

Mais il n'avait pas l'air particulièrement effrayé.

Nerfs d'acier

Harry sentait la forme familière du corps de Pétula qui reposait sur son lit et écoutait la rumeur beaucoup moins familière de Londres, qui venait du dehors. Son père et Kim dormaient encore. Il songea aux événements de la veille et voulut tirer Pétula avec lui sous la couette pour la mettre en sécurité.

– C'est quand même sympa ici, Pétula, non ? murmura-t-il. Et aujourd'hui, on va faire une grande excursion.

Papa lui avait raconté que lorsqu'il était petit, au cours de son premier voyage à la capitale, il avait découvert l'un des lieux les plus célèbres au monde : la tour de Londres. Alors il était prévu ce jour-là qu'ils iraient tous la visiter.

– Ça va être génial, tu ne crois pas, face de souris ? C'est là que les rois et les reines ont habité, et où certains ont eu la tête coupée ! La tour est vraiment très vieille, et il y a des armures, et des épées, et les joyaux de la Couronne, et tout, et tout !

Pétula roula sur le dos, les quatre pattes en l'air pour qu'il lui caresse son ventre rose. Avec un petit rire, Harry s'exécuta.

– D'accord, d'accord, ça ne t'intéresse pas tant que ça, n'est-ce pas ?

Après le petit déjeuner, ils sortirent. Kim était très jolie dans sa veste de cuir noir et sans même prendre le temps de réfléchir, Harry lui dit qu'il aimait bien sa façon de s'habiller. Les joues de la jeune femme rosirent et un immense sourire fendit le visage de papa d'une oreille à l'autre.

– N'est-ce pas qu'elle est belle ? fit-il fièrement tandis qu'il la prenait dans ses bras.

Quelque chose au fond de Harry souhaita immédiatement n'avoir jamais ouvert
la bouche. « Maman est bien aussi belle »,
protesta une petite voix dans sa tête.

Puis ce fut de nouveau le moment redouté
du métro que Pétula détestait tant. À vrai dire,
Harry n'appréciait pas non plus. C'était une
sensation plutôt pénible d'être propulsé à
travers des boyaux obscurs, très loin sous
terre, sous les rues de la ville. Papa lui raconta
que la ligne qu'ils empruntaient décrivait un
cercle, qu'elle tournait sans cesse en rond sur
la même voie, et que c'était pour cela qu'on
l'appelait Circle Line ou ligne circulaire.
Harry se demanda si les conducteurs avaient
parfois le tournis. Maman lui manquait secrè-
tement et le métro ne faisait qu'empirer les
choses. L'étrangeté de tout cela contrastait
tellement avec la vie qu'il connaissait…

Il aurait bien aimé que Pétula cesse de
trembler, mais il se réjouissait de la façon

dont tout le monde la regardait et s'excla-
mait : « Ooooh, tu as vu ! »

– On ne peut emmener Pétula nulle part
sans qu'elle s'attire tout un fan-club, sourit
Kim.

Le trajet parut long en direction de l'est
jusqu'à Tower Hill ; mais lorsqu'ils quittèrent
la station, le soleil brillait.

– Regardez ! cria Harry avec excitation,
car la Tamise miroitait dans la lumière vive
du matin.

Pétula sautillait au bout de sa laisse. Papa
leur montra les bateaux qui allaient et
venaient dans un ronronnement et expliqua
comment le fameux pont basculant, le Tower
Bridge, s'ouvrait en deux pour laisser passer
les plus gros navires. Une foule de touristes
déambulait au pied de la longue muraille
qui entourait la tour de Londres. Des stands
vendaient des souvenirs. L'effervescence
régnait. Harry avait envie de sauter partout
comme Pétula : pour la première fois depuis
le début de son séjour à Londres, il ressentait

l'excitation de se trouver quelque part où tant de choses arrivaient.

Mais quand ils atteignirent le guichet, son humeur changea. Seuls les chiens guides pour aveugles étaient acceptés à l'intérieur.

– Comment ai-je pu ne pas y penser ? grogna papa.

– Qu'est-ce qu'on va faire ? gémit Harry.

Ils se regardèrent avec impuissance.

Puis Kim frappa dans ses mains.

– Je sais ! dit-elle. Moi, j'ai déjà visité la tour de Londres ; et puis, ne serait-ce pas l'occasion de passer un vrai moment entre père et fils ? Alors, Pétula et moi, on va aller se promener sur le pont et le long du fleuve. Il fait un temps magnifique et j'ai envie

d'un peu d'exercice. J'achèterai des sand-wichs et quand vous aurez fini, on trouvera un banc pour pique-niquer.

Il n'y avait pas de discussion possible. Kim tendit la main pour prendre la laisse et bien que Pétula ne veuille pas laisser Harry, elle n'eut pas le choix.

– On s'appelle ! leur lança Kim, son télé-phone portable brandi à la main.

Au plus profond de lui-même, Harry était content. Quel bonheur de marcher aux côtés de papa, sans personne pour les inter-rompre… pas même Pétula. Il y avait bien longtemps que Harry ne s'était senti si heu-reux et libéré de toute inquiétude. Papa avait toujours adoré l'histoire et lui racontait des tonnes d'anecdotes; mais à vrai dire, Harry écoutait à peine tant le simple fait d'être là était déjà passionnant en soi.

– Pourquoi ces hommes portent ces cos-tumes bizarres, papa ? demanda-t-il.

– Ce sont les célèbres gardiens de la tour de Londres, mon garçon, les Beefeaters.

Des siècles plus tôt, ils faisaient partie de la garde rapprochée royale, mais de nos jours, ce sont simplement de vieux soldats qui ont fait une longue carrière dans l'armée. Les touristes les adorent ; il n'y a rien de plus anglais qu'un Beefeater…

– Beefeaters, « mangeurs de bœuf »… Alors, ça veut dire qu'ils dévorent tout le temps des steaks ? demanda Harry, ce qui fit rire papa.

Ils marchèrent le long des remparts, le fleuve coulait sur leur droite. Harry leva les yeux vers le drapeau qui flottait au-dessus de la tour Blanche centrale et murmura :

– C'est extraordinaire !

Et ça l'était. Papa lui parla de la porte des Traîtres où, des centaines d'années auparavant, les grands du royaume condamnés à la prison – et parfois à la mort – arrivaient par bateau. Ils virent la tour Sanglante, où l'on raconte qu'il y a bien longtemps, deux petits princes auraient été assassinés par leur oncle. Harry frissonna et fut soulagé de retrouver la lumière du soleil pour observer les célèbres

corbeaux de la tour, qui, croit-on, portent chance à toute l'Angleterre. Papa connaissait tellement de choses ! C'était génial.

À l'intérieur de la tour Blanche, Harry erra parmi des rangées d'armures et essaya d'imaginer ce que cela pouvait être de s'asseoir sur un cheval avec tout ce poids de métal. Ils examinèrent les piques, les lances, les poignards et les vieux pistolets, et évoquèrent la bravoure des hommes qui devaient aller à la bataille en ce temps-là.

Les joyaux de la Couronne venaient ensuite. Harry et papa se postèrent sur le tapis roulant qui leur permit de déambuler devant les diadèmes étincelants de rubis, d'émeraudes, de diamants et de perles, bien à l'abri dans leurs vitrines.

– On en vole un pour que tu le ramènes à maman ? murmura papa.

– Elle a déjà acheté un collier avec des diamants à Pétula, répondit Harry.

– Ça ne m'étonne pas que tu l'aies laissé à la maison, dit son père avec un large sourire.

Ce fut au moment où ils ressortirent, alors que papa annonçait qu'il était temps d'appeler Kim, que Harry eut la plus grosse surprise de la journée. Il avait déjà vu beaucoup de canons éparpillés sur les terre-pleins de la forteresse mais, pour la première fois, il remarqua celui qui se tenait au pied de la tour Blanche. Ils étaient déjà passés devant, mais là…

– Papa, regarde ! s'exclama Harry. C'est un chien !

Ils s'approchèrent.

Cela ne faisait aucun doute : le fût du canon était soutenu par la silhouette reconnaissable entre toutes d'un chien, d'un chien blanc aux oreilles pendantes.

– C'est… C'est une Pétula ! cria Harry. Un énorme bichon !

– Wahou ! dit papa.

– Fantastique ! renchérit Harry.

Papa lut l'écriteau. L'étonnant canon décoré de serpents verts et de mains qui serraient des poignards avait été offert par des militaires appelés chevaliers de Malte et, pour cette raison, sa partie inférieure avait été moulée en forme de bichon maltais.

– Le fût est en bronze et le chariot en fer. C'est ce qu'on appelle un canon de vingt-quatre livres… et il a environ quatre cents ans ! Regarde les têtes de lion qui pointent au centre des roues, Harry.

Mais Harry ne s'intéressait pas aux lions.

– Ils ont fabriqué une Pétula géante ! dit-il avec un éclat de rire. Un grand chien de fer aux nerfs d'acier !

– Un grand chien de fer aux nerfs d'acier et au courage indomptable, ajouta papa, qui va à la guerre, et tout, et tout ! Je parie que ce bichon a participé à quelques batailles mémorables !

– Hier, Pétula a montré qu'elle avait des nerfs d'acier, hein papa ?

– On ne peut pas dire le contraire !

Tandis que papa appelait Kim afin de convenir d'un point de rendez-vous, Harry sortit son téléphone portable et prit un tas de photos du canon au bichon maltais pour les montrer à sa mère. Il restait juste assez de temps pour visiter la boutique du musée. Aucune carte postale du canon ne s'y vendait, mais Harry dépensa un peu de l'argent de poche que lui avait donné papa pour acheter un ours habillé en Beefeater pour maman. Son père lui offrit un set crayon et stylo, un carnet, une gomme et un mug, tous décorés d'une image de la tour de Londres.

Quand ils retrouvèrent Kim et Pétula, la petite chienne fit une fête incroyable : elle sautait en l'air, les quatre pattes décollées du sol, jusqu'à ce que Harry se décide à la serrer contre lui.

– Oh, comme je suis content de te voir,

chienne aux nerfs d'acier ! dit-il tandis qu'elle couvrait son visage de léchouilles.

– Comment ça s'est passé ? demanda papa à Kim.

– Difficile au début, admit-elle. Cette petite sait parfaitement ce qu'elle veut ! Elle s'est immobilisée sur place et ne cessait de regarder vers la tour puisqu'elle savait que tu étais à l'intérieur, Harry. Elle a fini par céder, mais c'est une sacrée tête de mule.

– Nerfs d'acier ! répéta Harry avec un rire.

Kim le regarda sans comprendre, puis on lui expliqua l'histoire du canon au bichon maltais et Harry lui montra les photos sur son téléphone. Ils cheminèrent ensuite vers un banc qui donnait sur le fleuve et mangèrent leur pique-nique.

Harry se sentait heureux et, quelque part, fort aussi. Maintenant qu'il s'était retrouvé face à un bichon de fer géant, il avait l'impression que plus rien ne pourrait jamais l'effrayer.

Le lendemain, papa récupéra sa voiture au garage et ils prirent la route qui ramenait Harry chez lui. Il craignait que Kim ne veuille venir, mais elle avait beaucoup de travail à faire et décida de rester à Londres.

Elle se pencha pour donner un baiser rapide sur sa joue et lui dit qu'elle espérait qu'il reviendrait bientôt.

– Nous pourrions aller voir un spectacle, suggéra-t-elle.

– Il vaudra mieux que je laisse Pétula chez maman, alors, répondit-il. Qui sait ce qu'elle pourrait inventer la prochaine fois !

Mais en réalité, il pensait que les choses seraient très différentes la prochaine fois. Il n'aurait pas besoin du soutien de sa petite chienne aux nerfs d'acier.

À une demi-heure de la maison, il appela maman comme convenu et, lorsqu'ils arrivèrent à destination, une fête surprise les attendait. Léna, Isaac et Lucile avaient accroché un ballon sur la porte, qui portait l'inscription « **BIENVENUE** » écrite au marqueur, et Princesse Lala, la (pénible) chihuahua courait en rond et jappait comme si la demeure lui appartenait ! Pétula dut s'engager dans une féroce poursuite pour la remettre à sa place.

Au début, Harry n'avait pas vraiment envie d'embrasser sa mère devant tout le monde, mais Pétula résolut le problème. Elle sautilla

autour des chevilles de maman avec excitation afin de la supplier qu'elle la prenne
dans ses bras ; tout naturellement, maman
tendit l'autre bras et lança :

– Câlin collectif, hein, Harry ?

– C'est ce que j'aime avec cette chienne,
dit papa. Elle n'a pas peur de montrer ce
qu'elle ressent.

Maman adora l'ours Beefeater et Harry
présenta à ses amis ses souvenirs de la tour
de Londres. Puis ils se régalèrent de gâteaux
et de biscuits tandis qu'il leur racontait la
grande aventure de Pétula avec les hommes
aux airs de voyous.

– Mais ils étaient chouettes, en fait, dit
papa avec un hochement de tête incrédule.

– Ils étaient plus que chouettes, protesta
Harry. Ils étaient totalement cools et ils
adoraient Pétula même s'ils prétendaient
le contraire.

Maman frissonna.

– Quand je pense à ce qui aurait pu lui
arriver...

– Non, n'y pense pas, claironna obligeamment Léna.

– Il faut quand même dire que nous avons croisé une statue de Pétula qui montrait vraiment de quelle trempe elle est faite, dit papa. Vas-y, fais voir tes photos, Harry.

Harry entreprit alors de leur raconter toute l'histoire du chien de fer de Malte qui gardait la tour de Londres depuis quatre cents ans. Maman rit tandis qu'elle observait leur petite bichonne qui terrorisait Princesse Lala dans un coin.

– Et nous, on a la chance d'avoir Pétula qui nous protégera toujours, n'est-ce pas, Harry ? ajouta-t-elle avec un sourire.

Pétula était contrariée. Très contrariée. D'abord, il y avait eu une fois encore cet horrible train bruyant ; et maintenant, voici que Harry s'éloignait et qu'elle ne pouvait pas le suivre. Elle leva les yeux vers la femme qui tenait sa laisse et jappa. Pétula ne comptait pas partir : elle voulait rester plantée là à attendre Harry. Alors, elle s'assit et refusa de décoller d'un pouce.

La femme commença à tirer sur la laisse.

« Oh, s'il te plaît, Pétula, viens, suppliait-elle. Sois gentille avec moi, comme ça, Harry aura lui aussi envie d'être gentil... plus tard. S'il te plaît, aide-moi à me faire aimer de Harry, Pétula. »

Pétula leva de nouveau les yeux. Elle appréciait la voix de cette femme... mais non, elle ne voulait pas bouger.

Puis, soudain, elle aperçut au loin un chien blanc et marron qui se pavanait au bout d'une laisse. Quel genre de chien pouvait-il bien être ? Quelle était son odeur ?

La curiosité fut trop forte pour Pétula qui se redressa et trottina vers lui.

C'était exactement la direction que la femme souhaitait prendre et Pétula l'entendit s'écrier : « Bonne chienne ! Merci, Pétula ! »

Les humains sont vraiment trop mignons, songea Pétula. Ils croient toujours qu'on fait ce qu'ils veulent, alors qu'on passe notre temps à faire exactement ce qu'on veut.

Quoi qu'il en soit, Harry fut de retour quelques battements de queue plus tard, et ils se retrouvaient maintenant tous ensemble à la maison. Les odeurs n'avaient pas changé ; les câlins de la maman de Harry non plus.

Oui, c'est bien là mon territoire, pensa joyeusement Pétula, c'est ma place. Mais pas celle de cette pénible chihuahua ! Allez, au boulot. Grrrr… Je vais vite lui rappeler qui est le gros chien ici !

Pétula, la petite chienne dans la grande ville
une histoire vraie

Bel Mooney

Les enfants me demandent souvent si mes histoires sont « vraies ». Peut-être qu'ils savent que ma propre petite bichonne vient d'un refuge pour animaux, tout comme la Pétula de Harry.

Peut-être qu'ils savent aussi que j'ai autrefois écrit beaucoup, beaucoup d'histoires inspirées par ma propre fille, Kitty. Mais lorsque je me rends à la rencontre de mes lecteurs dans des écoles ou ailleurs, je leur dis que les écrivains puisent leurs idées absolument partout. Et dans tout.

Pourtant, l'épisode le plus incroyable de ce livre est réellement arrivé. J'ai emmené ma chienne en train à Londres ; comme je devais y rencontrer des journalistes importants, j'ai donné rendez-vous à un ami pour la lui confier la majeure partie de la journée. Mais ma bichonne n'a pas du tout apprécié : elle s'est faufilée sous une grille et s'est enfuie – probablement pour me rejoindre. Quand mon ami

s'en est rendu compte, il a paniqué. Il l'a cher-
chée pendant des heures et était presque au
bord des larmes en voyant qu'il ne réussissait
pas à la retrouver.

Puis, il y a eu cet appel téléphonique… parce
que, bien sûr, tous les chiens doivent porter un
collier avec un numéro de téléphone. Et, en
effet, la vraie Pétula avait été ramassée par des
garçons un peu voyous, comme dans le livre.
Vous imaginez la peur que j'ai eue ! Mais ils ont
été si gentils avec elle que j'ai compris, comme
Harry et son papa, qu'on ne peut pas vraiment
juger les gens sur leur apparence.

Et qu'est-ce que j'étais heureuse de récupérer
ma petite bichonne !

Bel Mooney est née en 1946 à Liverpool.
Elle entreprend des études de littérature
à l'université de Londres, où elle rencontre
son premier mari, dont elle aura trois enfants.
Elle s'oriente ensuite vers le journalisme et tient
des colonnes dans les grands quotidiens.
Plus tard, elle s'installe à Bath et se lance dans
l'animation radiophonique et télévisée, ainsi
que dans l'écriture de romans pour la jeunesse.
Les aventures de Pétula lui ont été inspirées
par sa petite chienne maltaise.

Site auteur : www.belmooney.co.uk

Clément Devaux est né en 1979 à Pontarlier,
dans le Doubs. Après un BTS de communication
visuelle, il intègre l'École des arts décoratifs,
dans la section illustration. Il travaille pour
la presse et l'édition jeunesse. Il a illustré
Sadi et le général, paru dans la collection
« Folio cadet ».

Pétula
La petite chienne aux idées géantes

Harry a toujours rêvé d'avoir un chien. Encore plus depuis que ses parents sont séparés et qu'il a changé d'école. Un chien qui serait son ami. «Non!» a dit sa mère pour la millième fois… avant de céder. Et Pétula a déboulé dans leur vie. Mais elle n'a rien à voir avec le chien de ses rêves.

Pétula
La petite chienne porte-bonheur

Qui a caché une saucisse sous le canapé? Pétula! Qui a volé ma chaussure? Pétula! Qui a bondi sur le facteur, arraché mon dessin? Pétula! J'ai conduit ma petite chienne à l'école de dressage pour lui apprendre les bonnes manières et, grâce à elle, j'ai de nouveaux amis. Promets-moi, Pétula, que tu seras sage pour la première visite de papa…